Savoir Préparer
LA CRÈME
dans la
cuisine moderne

Savoir Préparer
LA CRÈME
dans la
cuisine moderne

Idées Recettes

Cet ouvrage a été réalisé
avec la collaboration du C.I.D.I.L.
Centre Interprofessionnel de Documentation
et d'Information Laitières
8, rue Danielle Casanova - 75002 Paris.

© copyright 1984
Créalivres
Comptoir du Livre
3, 5 rue de Nesle 75006 Paris

Texte de Patrice Dard
Photos de Jean-François Amann

N° d'éditeur : C 142
N° ISBN pour la collection : 2-86721-010-5
N° ISBN pour le présent volume : 2-86721-022-3

Dépôt légal: Paris, 3e trimestre 1989.

Diffusion exclusive en France:
Comptoir du Livre à Paris.

Index alphabétique

SAVOIR PRÉPARER LA CRÈME

Lorsque l'on dit de quelqu'un que c'est la "crème" des hommes, d'un mot toutes ses qualités sont définies : excellence, douceur, délicatesse... La crème, au propre comme au figuré, c'est ce qui se trouve au-dessus, le nec plus ultra, le fin du fin.

Traditionnelle dans certaines régions de France comme la Normandie ou le Lyonnais, la cuisine à la crème peut présenter bien d'autres aspects moins classiques et participe pleinement au renouveau et à la modernisation de la cuisine.

En dépit de son oppulence, la crème ne contient que 30 % de matières grasses et se révèle de ce fait 3 fois moins calorique que l'huile. Dans une sauce de salade, par exemple, en remplacement de l'huile et en quantité égale, elle devient parfaitement diététique tout en apportant une merveilleuse finesse de goût. Dans les desserts, la crème peut contribuer à limiter le sucre, produit lui aussi beaucoup plus fortement calorique

La crème est donc une denrée équilibrée, nécessaire à la santé par sa richesse en vitamines et particulièrement en vitamine "A" indispensable à la croissance des enfants.

Dans le commerce il existe plusieurs sortes de crèmes :
— La crème fraîche (environ 30 % de matières grasses), liquide ou plus épaisse, selon le temps de conservation à la maison,
— La crème fleurette, crème liquide que l'on peut fouetter et monter aisément en chantilly,
— Les crèmes de longue conservation, dites U.H.T., que l'on peut garder longtemps au réfrigérateur,
— Les crèmes fraîches allégées, produit assez récent, qui se présentent sous le même aspect que la crème fraîche classique mais dont la teneur en matières grasses a été réduite (de 12 % à 20 %).

Pour chacune des recettes de cet ouvrage, nous indiquerons le type de crème qui nous paraît recommandable.

Nous verrons également quand et comment battre ou fouetter la crème pour l'aérer, lui donner du volume et de la légèreté. Nous nous intéresserons aussi à la manière de la réduire pour développer son onctuosité ainsi qu'aux méthodes pour l'incorporer à une autre préparation afin de l'enrichir en saveur et en texture.

La crème, c'est naturellement le liant roi de la cuisine, l'ingrédient magique qui transforme toutes les sauces en velours, mais c'est aussi une note de raffinement, un soupçon d'élégance qui parachève un plat et le transforme en une recette subtile. La crème permet, d'un geste, de transformer un simple jus en une sauce savoureuse et légère.

Des entrées jusqu'aux desserts, dans les salades et les potages, avec les poissons et les volailles, les viandes et les légumes, au cours d'un pique-nique ou d'un buffet, d'un repas sur le pouce ou d'un grand souper fin, d'un bout à l'autre de la cuisine et de la gourmandise, la crème occupe une place clé. La crème se parfume et se colore à volonté car elle accepte tous les apprêts, tous les mélanges avec les épices, les aromates et les herbes fraîches.

Dans la cuisine, entre le sel et le poivre, la crème doit rester à portée de la main. Sur la table, à côté de la moutarde et du beurre, nous retrouvons la crème comme le condiment suprême qui réhausse toutes vos préparations.

Dans cet ouvrage dont les recettes sont illustrées de photos originales en couleurs, nous allons aborder toutes les utilisations possibles de la crème dans le contexte d'une cuisine moderne, jeune, gaie et raffinée. Chaque recette indique clairement le temps de préparation, celui de cuisson ainsi que les quantités d'ingrédients nécessaires.

Savoir préparer la crème vous permettra de varier facilement vos menus, d'offrir à votre famille et à vos invités des plats gourmands et originaux et, nous l'espérons, de maîtriser parfaitement ce joyau de la cuisine qu'est la crème.

ŒUFS DE CAILLE
SUR LE PLAT AUX
ASPERGES À LA CRÈME

Pour 4 personnes
Préparation 10 mn - Cuisson 11 mn

12 œufs de caille frais,
12 pointes d'asperges,
12 tomates cerises,
100 g de crème fraîche épaisse,
sel et poivre, selon le goût,
1 brin de cerfeuil,
1 noisette de beurre pour cuire les œufs de caille.

Les œufs de caille sur le plat aux asperges à la crème : recette simple à réaliser en 21 mn.

ŒUFS DE CAILLE SUR LE PLAT

A l'eau bouillante salée, faites blanchir les pointes d'asperges pendant 5 mn.

Egouttez-les.

Dans une casserole à fond épais, versez la crème que vous salez et que vous poivrez selon votre goût.

Emincez les pointes d'asperges à la taille de grosses allumettes. Mettez-les dans la crème et placez sur feu moyen. Laissez réduire pendant 5 mn.

Beurrez très légèrement une poêle anti-adhésive. Cassez les œufs de cailles et cuisez-les sur le plat comme vous le feriez avec des œufs de poule, environ 1 mn.

Salez et poivrez. Faites glisser sur les assiettes de service.

Nappez avec la crème aux asperges et décorez avec des rondelles de tomates cerises. Parsemez de pluches de cerfeuil.

Dans ce plat, tous les ingrédients sont réduits à des proportions naines mais la saveur, en revanche se révèle très grande et subtile.

Servir avec un vin blanc de Bourgogne et de préférence un pouilly fuissé.

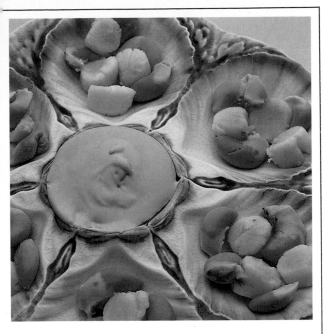

COQUILLES
SAINT-JACQUES
À LA CRÈME DE CORAIL

Pour 4 personnes
Préparation 25 mn - Cuisson 1 mn

12 belles coquilles Saint-Jacques bien coraillées
ou 36 pétoncles,
120 g de crème fleurette,
sel, paprika et poivre de Cayenne, selon le goût.

Les coquilles Saint-Jacques à la crème de corail : recette simple à réaliser en 26 mn.

COQUILLES ST-JACQUES à la CRÈME de CORAIL

Ouvrez les coquilles Saint-Jacques ou les pétoncles.

Grattez pour récupérer les noix et les coraux.

Débarrassez ces parties comestibles de toutes les parties filandreuses. Lavez-les.

Prélevez la moitié des coraux et écrasez-les dans un bol avec la crème fleurette. Passez au chinois pour obtenir une préparation lisse et homogène.

Dans un bol, fouettez cette crème de corail après l'avoir assaisonnée selon votre goût avec du sel, du paprika et une pointe de poivre de Cayenne. Vous devez obtenir une crème presque aussi légère qu'une chantilly.

Pochez les chairs des Saint-Jacques ou des pétoncles pendant 1 mn à l'eau frémissante salée.

Egouttez-les et dressez-les sur assiettes.

Servez avec la crème de corail.

Des Saint-Jacques à la sauce Saint-Jacques, comment imaginer une recette aussi simple et pure de conception ? Sa saveur raffinée et sans artifice en fait un plat de haute valeur gastronomique qui ne nécessite pourtant aucune préparation compliquée.

Servir avec un vin blanc du pays nantais, un gros plant par exemple.

RILLETTES
AUX TROIS SAUMONS

Pour 6 personnes
Préparation 15 mn - Cuisson 6 mn

200 g de saumon frais,
150 g de saumon fumé,
150 g de crème fraîche épaisse,
50 g de beurre,
sel et poivre de Cayenne,
selon le goût et la teneur en sel du saumon fumé,
100 g d'œufs de saumon,
2 brins d'aneth,
6 blinis (crêpes russes dont la pâte est levée).

Les rillettes aux trois saumons : recette simple à réaliser en
21 mn.

RILLETTES AUX TROIS SAUMONS

Dans une poêle anti-adhésive, faites cuire le saumon frais côté peau pendant 4 mn. Puis retournez-le côté chair pendant 2 mn. Il est préferable de préchauffer la poêle et d'opérer à feu moyen.

Dans le bol du mixer, mélanger le saumon frais débarrassé de sa peau et de ses arêtes, le saumon fumé, le beurre, la crème, le sel et le poivre de Cayenne.

Broyez pour obtenir une mixture homogène dont l'onctuosité proviendra de la texture du saumon et de l'apport de crème.

Réchauffez les blinis à la vapeur et tartinez-les de ces «rillettes» de saumon.

Ajoutez des œufs de saumon au centre et parsemez de brins d'aneth.

Ces rillettes aux trois saumons peuvent se consommer en entrée ou mieux encore en amuse-gueules. Le parfum qu'elles développent atteint les sommets de la subtilité.

———————

Servir avec un verre de vodka glacée.

VELOUTÉ
D'OURSINS

Pour 2 personnes
Préparation 15 mn - Cuisson 12 mn

1 douzaine d'oursins,
2 verres de champagne,
2 jaunes d'œufs,
200 g de crème fraîche,
1 brin de cerfeuil,
sel et poivre, selon le goût.

Le velouté d'oursins : recette cordon-bleu à réaliser en 27 mn.

VELOUTÉ D'OURSINS

Ouvrez les oursins en les saisissant d'une main et en découpant la partie supérieure de l'autre main avec une paire de ciseaux.

Récupérez le jus des oursins. Filtrez-le. Mélangez-le au champagne et à une quantité égale d'eau.

Portez à frémissement et laissez pendant 5 mn.

Pendant ce temps, prélevez les langues orangées des oursins et broyez-les au mixer avec les deux jaunes d'œufs.

Au bout des 5 mn d'ébullition du potage, incorporez le mélange des œufs des coraux d'oursins et laissez encore frémir 5 mn en fouettant sans cesse.

Ajoutez alors la crème fraîche.

Fouettez toujours et poursuivez la cuisson pendant 2 mn.

Salez et poivrez selon votre goût.

Versez aussitôt en assiettes creuses chaudes et parsemez de pluches de cerfeuil.

Ce velouté d'oursins au champagne est certainement l'un des potages les plus raffinés qui soient. Il revient cher et n'est pas à recommander pour une grande tablée, mais plutôt à l'occasion d'un souper intime.

Servir avec le champagne du velouté.

SOUFFLÉ LÉGER
À L'ANCHOIS

Pour 2 personnes
Préparation 10 mn - Cuisson 20 mn

1 boîte d'anchois allongés,
150 g de crème fraîche,
2 blancs d'œufs,
1 jaune d'œuf,
30 g de beurre,
poivre, selon le goût,
1 pincée de sel.

Le soufflé léger à l'anchois : recette cordon-bleu à réaliser en
30 mn.

SOUFFLÉ LÉGER À L'ANCHOIS

Broyez au mixer les anchois après les avoir bien égouttés. Mélangez-les à la crème et à 20 g de beurre.

Ajoutez le jaune d'œuf et le poivre.

Montez les deux blancs d'œufs avec une pincée de sel, en neige moyennement ferme.

Incorporez tout doucement à la crème d'anchois, sans briser la structure des œufs en neige.

Remplissez deux petits moules à soufflé légèrement graissés avec le reste du beurre.

Mettez à four chaud (th. 8–240°) pendant 15 mn.

Servez immédiatement.

Vous pouvez décorer ces soufflés légers avec des anchois roulés autour de câpres.

———————

Servir avec un listel gris bien frais.

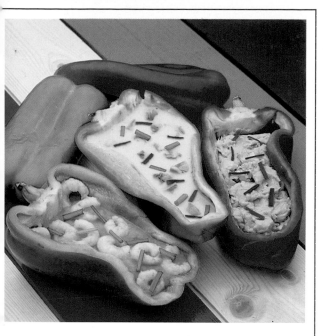

ARLEQUIN
DE POIVRONS

Pour 2 ou 3 personnes
Préparation 20 mn - Cuisson 5 mn

3 poivrons (si possible 1 vert, 1 rouge, 1 jaune),
2 tomates,
100 g de crevettes décortiquées,
1 avocat,
100 g de chair de crabe,
1 tasse de mayonnaise,
1 tranche de jambon ou un reste de blanc de poulet,
150 g de crème fraîche,
sel, poivre, gingembre,
1 brin de ciboulette.

L'Arlequin de poivrons : recette simple à réaliser en 25 mn.

Coupez les poivrons en deux. Otez-en les pépins et les côtes blanches de l'intérieur.

Vous pouvez soit les blanchir 5 mn à l'eau bouillante salée, soit les passer 5 mn à four très chaud après les avoir huilés.

Préparez les différentes farces.

D'abord, vous pelez et épépinez les tomates. Vous les broyez avec 1/3 de la crème. Vous salez et vous poivrez. Incorporez alors les crevettes et réservez au frais.

Broyez ensuite l'avocat, pelé et débarrassé de son noyau, avec le second tiers de la crème. Salez et poivrez.

Crémez la mayonnaise avec le troisième tiers de crème, saupoudrez de gingembre râpé et incorporez le jambon ou le poulet émincé.

Garnissez les poivrons que vous avez laissé refroidir des différentes préparations en alternant les couleurs.

La forme des poivrons, leurs couleurs et la couleur des farces donneront l'illusion d'un costume d'arlequin.

Servir avec un vin rouge d'Italie. Par exemple, un valpolicella.

CAVIAR
DE COURGETTES

Pour 4 personnes
Préparation 10 mn - Cuisson 15 mn

4 courgettes de taille moyenne,
2 petits oignons frais,
2 gousses d'ail,
100 g d'olives noires,
4 feuilles de menthe,
2 feuilles de basilic,
1 brin de persil,
1 jus de citron,
1 pincée de fleurs de thym,
150 g de crème fraîche assez liquide,
sel et poivre, selon le goût.

Le caviar de courgettes : recette très simple à réaliser en 25 mn.

CAVIAR DE COURGETTES

Coupez les courgettes en rondelles de 2 cm d'épaisseur.

Faites-les bouillir à l'eau salée pendant 15 mn.

Pendant ce temps, dénoyautez les olives et hachez-les avec les oignons, l'ail, la menthe, le basilic et le persil.

Egouttez soigneusement les courgettes lorsqu'elles sont moëlleuses à point.

Mélangez au hachis des autres légumes.

Laissez refroidir.

Passez brièvement au mixer ou au presse-purée.

Ajoutez le jus de citron et les fleurs de thym.

Salez et poivrez selon votre goût, mais sans perdre de vue que ce plat doit être assez relevé.

Au dernier moment, incorporez la crème en fouettant.

Réservez au frais et servez accompagné de tranches de pain grillées.

———————

Servir avec un rosé de Corse ou de Provence.

PANIER DE LÉGUMES
A LA CRÈME DE XÉRÈS

Pour 8 personnes
Préparation 25 mn - Cuisson 5 mn

8 carottes,
1 grosse branche de céleri,
2 bulbes de fenouil,
8 artichauts poivrade,
2 poivrons rouges,
1 botte de radis,
8 tomates,
1 botte de petits oignons,
1 concombre,

2 têtes de brocolis,
1/2 chou-fleur,
4 endives,
200 g de champignons de Paris,
400 g de crème fraîche,
5 cuillerées à soupe
de vinaigre de Xérès,
sel et poivre, selon le goût,
1 brin d'aneth.

Le panier de légumes à la crème de Xérès : recette très simple à
réaliser en 30 mn.

PANIER DE LÉGUMES À LA CRÈME DE XÉRÈS

Tous les légumes conseillés se consomment crus à l'exception des brocolis qu'il convient de blanchir 5 mn à l'eau bouillante salée.

Le choix des légumes est important. Il les faut jeunes, tendres, frais et croquants.

Lavez-les avec soin.

Raclez les carottes et les céleris.

Otez les premières feuilles des artichauts, du fenouil et des endives.

Dressez tous les légumes dans un panier, pour un pique-nique, par exemple. Ou de manière plus sophistiquée, pour un dîner sur la terrasse, découpez les légumes et présentez-les le plus harmonieusement possible sur assiettes.

Mélangez la crème avec le vinaigre de Xérès. Salez et poivrez selon votre goût, mais de préférence abondamment. Fouettez longuement pour aérer la crème et réservez au frais jusqu'au moment du service. Parsemez d'aneth.

———————

Servir avec un rosé de Touraine.

CRÈME DE TRUFFES, CRÈME DE TOMATES, CRÈME DE BASILIC

Pour 6 personnes
Préparation 20 mn - Cuisson 5 mn

300 g de crème fraîche épaisse,
50 g de truffes,
2 cuillerées à soupe de cognac,
3 petites tomates,
1/2 jus de citron,
10 feuilles de basilic,
1 cuillerée à soupe de vinaigre de vin,
sel et poivre selon le goût.

Les crèmes de truffes, de tomates et de basilic : recettes simples à réaliser en 25 mn.

CRÈMES de TRUFFES, de TOMATES, de BASILIC

Hachez finement les truffes. Laissez macérer les morceaux 10 mn dans le cognac. Salez et poivrez.

Dans une petite casserole, faites chauffer ce mélange jusqu'à ce que le cognac se soit évaporé. Laissez refroidir.

Incorporez les truffes à 100 g de crème fraîche épaisse et fouettez pour obtenir un mélange lisse et onctueux. Réservez au frais.

Pelez les tomates. Otez-en les pépins. Broyez la pulpe avec 100 g de crème fraîche épaisse. Ajoutez le jus de citron. Salez et poivrez. Battez jusqu'à l'obtention d'un mélange homogène. Réservez au frais.

Hachez très finement les feuilles de basilic. Incorporez-les à 100 g de crème fraîche épaisse. Ajoutez le vinaigre. Salez et poivrez. Fouettez et réservez au frais.

Ces crèmes seront proposées en accompagnement d'un poisson cuit au court-bouillon et servi froid, ou avec un poulet froid, lors d'un souper léger ou d'un déjeuner d'été sur la terrasse.

———————

Servir avec un vin léger et frais, blanc ou rouge, selon les mets.

SALADE DE BROCOLIS
À LA CRÈME ROUGE

Pour 4 personnes
Préparation 10 mn - Cuisson 10 mn

2 belles têtes de brocolis
(ou à défaut 1 chou-fleur),
1 poivron rouge,
150 g de crème aigre,
2 cuillerées à soupe de vinaigre de Xérès,
sel et poivre de Cayenne, selon le goût.

La salade de brocolis à la crème rouge : recette simple à réaliser
en 20 mn.

SALADE DE BROCOLIS À LA CRÈME ROUGE

Coupez le poivron en deux. Otez-en les côtes blanches et les pépins. Taillez alors le poivron en julienne et faites-le blanchir 4 mn à l'eau bouillante salée. Egouttez-le et mettez-le dans le mixer avec la crème, le vinaigre, le sel et le poivre de Cayenne.

Broyez jusqu'à obtention d'une crème lisse. Laissez refroidir puis fouettez cette crème pour l'aérer et la rendre mousseuse. Réservez au frais.

Epluchez les brocolis et découpez-les en petites têtes de la taille d'une noix.

Cuisez-les à l'eau bouillante très salée pendant 6 mn.

Egouttez-les et dressez-les sur assiettes.

Nappez avec la crème au poivron.

Une opposition de couleurs et de goûts très agréable pour une entrée légère, délicieuse et économique.

Servir avec un vin rosé de Provence.

CONSOMMÉ DE VOLAILLE À LA CRÈME D'ŒUFS DE SAUMON

Pour 4 personnes
Préparation 5 mn - Cuisson 10 mn

1 l de consommé de volaille,
1 petite courgette, 2 carottes nouvelles,
1 verre à liqueur de porto,
200 g de crème fraîche épaisse,
100 g d'œufs de saumon, 4 brins de ciboulette,
poivre de Cayenne selon le goût.

Le consommé de volaille à la crème d'œufs de saumon : recette simple à réaliser en 15 mn.

Lavez la courgette. Raclez les carottes.

Découpez ces légumes en brunoise, c'est-à-dire en petits cubes.

Dans une casserole, versez le consommé de volaille.

Ajoutez le porto, la courgette et les carottes ainsi qu'une pointe de Cayenne.

Faites chauffer sur feu moyen et laissez frémir 10 mn, en couvrant la casserole.

Pendant ce temps, mélangez la crème, la ciboulette hachée ainsi que les œufs de saumon. Prenez soin de ne pas écraser les œufs de saumon.

Lorsque le consommé est prêt, versez dans des tasses ou dans des bols.

Chaque convive puisera avec sa cuiller à soupe dans la crème aux œufs de saumon et la délayera froide dans le consommé très chaud.

Cette opposition de températures et de saveurs donne un résultat d'une rare délicatesse encore réhaussée par l'onctuosité de la crème qui doit être épaisse et de toute première qualité.

———————

Aucune boisson n'accompagne ce consommé, mais il est plaisant, à la fin, de déguster un petit verre de vieux porto.

MOULES « CANARIES »

Pour 4 personnes
Préparation 10 mn - Cuisson 8 mn

3 l de moules de bouchots,
150 g de crème fraîche épaisse,
0,2 g de safran (2 dosettes),
1 gousse d'ail,
1/2 jus de citron,
1 jaune d'œuf,
sel et poivre de Cayenne, selon le goût,
1 petite branche de céleri perpétuel.

Les moules « canaries » : recette simple à réaliser en 18 mn.

Grattez les moules. Lavez-les.

Dans une marmitte, versez 1/2 verre d'eau. Placez sur feu moyen. Mettez les moules. Couvrez et laissez cuire jusqu'à ce que les moules soient ouvertes, soit environ 4 mn.

Pendant ce temps, battez le jaune d'œuf avec la crème. Ajoutez le safran, la gousse d'ail écrasée, le jus de citron, du sel et du poivre de Cayenne, selon votre goût.

Faites réduire à feu doux pendant 4 mn dans une casserole à fond épais.

Décortiquez à moitié les moules, c'est-à-dire que vous retirez la valve supérieure et que vous laissez les corps dans la valve inférieure.

Dressez sur assiettes.

Nappez légèrement avec la sauce «Canaries» au safran.

Parsemez de petites feuilles jeunes et tendres de céleri perpétuel.

Entrée délicate et recherchée qui ne fait pourtant pas appel à des produits chers si l'on excepte le safran qui est d'ailleurs utilisé en quantité très modeste.

———————

Servir avec un vin rosé du Béarn.

QUENELLES DE CRABE
À L'OSEILLE

Pour 6 personnes
Préparation 20 mn - Cuisson 16 mn

250 g de chair de crabe,
350 g de filets de brochet,
6 œufs,
350 g de crème fraîche,
200 g de beurre ramolli,
1,5 l de fumet de poissons,
sel et poivre, selon le goût,
100 g de beurre d'écrevisses,
100 g de crème fleurette,
6 feuilles d'oseille,
20 g de beurre.

Les quenelles de crabe à l'oseille : recette cordon-bleu à réaliser en 36 mn.

QUENELLES DE CRABE À L'OSEILLE

Passez au mixer la chair de crabe et les filets de brochet.

Versez en terrine très froide.

Avec une spatule, travaillez le mélange en incorporant les uns après les autres les six œufs.

Sans cesser de travailler l'appareil, introduisez alors la crème fraîche, puis le beurre ramolli mais non fondu.

Salez et poivrez selon votre goût.

Beurrez légèrement une cocotte et disposez-y la préparation en petits tas moulés à la cuiller à soupe.

Couvrez avec le fumet de poissons.

Placez sur feu doux. Laissez frémir pendant 10 mn.

Pendant ce temps, faites fondre le beurre d'écrevisses avec la crème fleurette.

Lavez l'oseille. Découpez les feuilles en lanières.

Incorporez-les à la sauce et laissez chauffer tout doucement le temps de la cuisson des quenelles.

Rectifiez l'assaisonnement de la sauce en sel et en poivre. Réservez au chaud.

Egouttez les quenelles.

Passez-les 5 mn au beurre, dans une poêle, sur feu doux. Dorez-les sur toutes les faces.

Dressez-les sur assiettes. Nappez avec la sauce crémée aux écrevisses et à l'oseille, et dégustez ce plat précieux et délicat.

Servir avec un saumur Champigny frais.

QUEUES
DE LANGOUSTINES
DANS LEUR CRÈME

Pour 2 personnes
Préparation 5 mn - Cuisson 10 mn

8 ou 10 langoustines, selon leur taille,
100 g de pois gourmands,
3 cuillerées à soupe de crème fraîche,
le zeste d'un demi-citron,
2 brins de ciboulette,
sel et paprika, selon le goût.

Les queues de langoustines dans leur crème : recette assez
simple à réaliser en 15 mn.

QUEUES DE LANGOUSTINES DANS LEUR CRÈME

Équeutez les pois gourmands.

Cuisez-les 6 mn à l'eau bouillante salée. Égouttez-les soigneusement et tenez-les au chaud.

Partagez les langoustines en deux de manière à séparer la queue du thorax.

Dans les thorax et les têtes, prélevez toutes les parties crémeuses. Malaxez ce que vous avez recueilli avec la crème, le paprika et un peu de sel.

Faites chauffer 3 mn dans une casserole à fond épais et passez au chinois pour obtenir une crème lisse et onctueuse que vous réservez au chaud.

Portez à ébullition une cassserole d'eau salée et plongez-y les queues de langoustines 1 mn. Retirez aussitôt et décortiquez.

Dressez les pois gourmands et les queues de langoustines sur assiettes.

Nappez avec la crème au parfum de langoustine.

Parsemez d'une julienne de zestes de citron et de brindilles de ciboulette. Dégustez aussitôt ce plat de grande saveur.

———————

Servir avec une coupe de champagne brut frappé ou un bon vin blanc sec.

HOMARD À LA CRÈME

Pour 2 personnes
Préparation 10 mn - Cuisson 10 mn

1 homard de 1 kg,
1 douzaine d'asperges vertes,
100 g de coulis de homard,
100 g de crème fraîche,
1 filet de citron,
sel et poivre de Cayenne, selon le goût.

Le homard à la crème : recette cordon-bleu à réaliser en 20 mn.

HOMARD À LA CRÈME

Grattez les asperges et lavez-les.

Coupez-en 2 cm du côté de la queue.

Dans un fait-tout, faites bouillir de l'eau salée.

Plongez-y en même temps les asperges et le homard.

Réglez le feu de manière à ce que l'eau frémisse et laissez cuire 10 mn.

Pendant ce temps, mélangez le coulis de homard, la crème et le filet de citron. Salez et poivrez au Cayenne. Faites chauffer à feu très doux en laissant légèrement réduire.

Arrêtez le feu sous les asperges et le homard au bout de 10 mn. Laissez les asperges dans l'eau jusqu'au moment de les consommer.

Sortez le homard, décortiquez-le, taillez la queue en médaillons et dressez sur assiettes brûlantes.

Égouttez les asperges. Ajoutez dans les assiettes avec le homard.

Nappez avec le coulis crémé.

Si le homard est une femelle, prélevez une partie des œufs et ajoutez-les à la sauce.

Consommez immédiatement ce délice aussi somptueux qu'onéreux. À réserver pour les grandes circonstances.

Servir avec un sancerre très frais.

ROUGETS SOUFFLÉS
À LA CRÈME DE CIBOULE

Pour 4 personnes
Préparation 20 mn - Cuisson 20 mn

4 beaux rougets barbets,
200 g de crème fraîche,
1 cuillerée à café de pastis,
1 pincée de safran,
1 œuf,
2 foies de volailles,
50 g de beurre fondu,
8 fleurs de ciboule montée,
sel et poivre, selon le goût.

Les rougets soufflés à la crème de ciboule : recette cordon-bleu à réaliser en 40 mn.

Grattez les rougets pour les écailler.

Ouvrez-leur le ventre. Videz-les. Prélevez les foies.

Mélangez dans le bol du mixer les foies des rougets, les foies de volailles, 100 g de crème fraîche, le jaune d'œuf, le pastis, le safran, du sel et du poivre.

Montez le blanc de l'œuf en neige ferme et incorporez-le à l'appareil.

Beurrez les rougets avec du beurre fondu et rangez-les sur le dos, ventre ouvert en l'air, dans un plat à gratin.

Farcissez les rougets de l'appareil à soufflé et versez sur l'ensemble le reste du beurre fondu. Salez et poivrez assez largement.

Placez à four moyen (th. 6-7, 200°) pendant 20 mn.

Pendant ce temps, faites chauffer le reste de la crème (100 g) dans une casserole. Salez et poivrez légèrement.

Laissez réduire 5 mn. 1 mn avant la fin, jetez dans la crème des fleurs de ciboule montée. Elles parfumeront la crème, mais vous ne les mangerez pas.

Dressez les rougets cuits sur assiettes et nappez de la crème à la ciboule.

Un affrontement de goûts puissants autour de l'un des poissons les plus délicats de la création !

———————

Servir avec un vin rouge de Cassis.

TRESSES DE SOLE
ET SAUMON

Pour 2 personnes
Préparation 15 mn - Cuisson 14 mn

200 g de filets de sole,
200 g de filets de saumon,
100 g d'oseille,
100 g de crème fraîche épaisse,
sel et poivre blanc, selon le goût.

Les tresses de sole et saumon : recette simple à réaliser en 29 mn.

TRESSES DE SOLE ET SAUMON

Détaillez les filets des deux poissons en lanières de 2 cm de côté.

Tressez-les en alternant les poissons, donc les couleurs. Vous pouvez également enrouler les filets sur eux-même, deux par deux, l'un de saumon, l'autre de sole.

Lavez l'oseille. Équeutez-la pour ne conserver que les feuilles vertes et tendres.

Essuyez avec soin.

Coupez l'oseille en julienne et passez-la au mixer avec la crème.

Mettez cette crème dans une casserole à fond épais et laissez réduire à feu doux pendant 10 mn. Salez et poivrez au poivre blanc en fonction de votre goût.

Passez au chinois et réservez au chaud.

Faites cuire les tresses de poissons à la vapeur pendant 4 mn en les retournant à mi-cuisson.

Dressez les tresses sur assiettes.

Saupoudrez d'une pincée de sel.

Nappez de la crème d'oseille et dégustez aussitôt.

Le roi et la reine des poissons entrelacés : voilà de quoi séduire les palais les plus blasés.

Servir avec un riesling très frais.

PAUPIETTES DE HADDOCK À LA CRÈME FUMÉE

Pour 4 personnes
Préparation 20 mn - Cuisson 15 mn

1 filet de haddock de 800 g,
1 truite fumée,
1 orange,
8 cosses de fèves fraîches,
4 crevettes bouquets,
1 brin d'aneth,
1 brin de persil,
1 brin de menthe,
200 g de crème fraîche,
poivre et gingembre râpé, selon le goût.

Les paupiettes de haddock à la crème fumée : recette assez simple à réaliser en 35 mn.

PAUPIETTES de HADDOCK à la CRÈME FUMÉE

Partagez le filet de haddock en deux dans le sens de l'épaisseur, puis en 4 dans le sens de la longueur, ce qui vous donne 8 bandes de chair.

Roulez ces bandes en forme de paupiettes, en emprisonnant un morceau de truite fumée à l'intérieur de chaque paupiette.

Ficelez avec de la ficelle de cuisine.

Coupez 4 morceaux de papier d'aluminium qui vont servir à préparer des papillotes.

Ecossez les fèves et faites-les cuire 5 mn à l'eau bouillante salée. Égouttez-les.

Dans chaque papillote, mettez 2 paupiettes de haddock, 1 tranche d'orange, quelques fèves, un peu d'aneth, un peu de persil, un peu de menthe.

Poivrez et saupoudrez de gingembre râpé.

Complétez avec 50 g de crème dans chaque papillote.

Refermez hermétiquement la feuille d'aluminium.

Mettez à four chaud (th. 8-240°) pendant 10 mn.

Posez sur assiette et servez aussitôt.

Chaque convive ouvrira lui-même sa papillote et sentira monter à ses narines la délicate senteur de la crème fumée.

———

Servir avec un petit verre de vodka ou d'aquavit glacée.

BOUILLABAISSE
À LA CRÈME

Pour 4 personnes
Préparation 30 mn - Cuisson 20 mn

1 dorade,
1 alose
(ou un morceau de lotte),
4 petites rascasses,
2 rougets barbets,
2 petits St-Pierre,
2 petites limandes,
4 langoustines
8 moules d'espagne,
2 oignons, 2 tomates,
2 échalotes,

1/2 citron,
8 pommes de terre,
4 gousses d'ail,
1 bouquet de persil,
1 feuille de laurier,
1 brindille de thym,
2 litres de fumet de poissons,
150 g de crème fraîche,
6 oursins,
sel et poivre de Cayenne,
selon le goût.

La bouillabaisse à la crème : recette cordon-bleu à réaliser en 50 mn.

BOUILLABAISSE À LA CRÈME

Grattez, videz et lavez tous les poissons. Nettoyez les moules et ouvrez-les en laissant la chair dans une seule valve.

Epluchez tous les légumes.

L'ustensile idéal pour préparer cette bouillabaisse peu traditionnelle est le wok, récipient ancestral des chinois qui est en train d'envahir petit à petit nos cuisines, tant il est pratique et sain. À défaut, utilisez une grande cocotte.

Rangez les poissons, les moules, les langoustines, les légumes et les herbes dans le wok.

Versez le fumet de poissons. Rectifiez l'assaisonnement avec du sel et du poivre de Cayenne.

Placez sur feu vif et faites partir l'ébullition. La cuisson durera environ 20 mn.

Pendant ce temps, ouvrez les oursins. Récupérez les parties orangées (le corail) et malaxez-le avec la crème fraîche. Salez et poivrez.

5 mn avant la fin de la cuisson des poissons, versez cette crème à l'oursin. Remuez précautionneusement afin que les poissons du haut passent en bas et vice versa et que leur cuisson soit uniforme.

Présentez tel quel sur table avec des tranches de pain grillées et frottées d'ail.

Il est évident que la composition de ce plat peut varier en fonction des poissons que vous trouverez sur le marché.

Servir avec un vin blanc sec d'entre-deux-mers.

CUISSES
DE GRENOUILLES
À LA CRÈME D'AIL
ET MOUSSE DE PERSIL

Pour 4 personnes
Préparation 10 mn - Cuisson 18 mn

4 douzaines de cuisses de grenouilles,
60 g de beurre,
1 tête d'ail nouveau frais,
1 botte de persil,
5 cuillerées à soupe de crème fraîche,
sel et poivre, selon le goût.

Les cuisses de grenouilles à la crème d'ail et mousse de persil :
recette assez simple à réaliser en 28 mn.

Dans une casserole, faites bouillir à l'eau salée la tête d'ail nouveau pendant 5 mn.

Passez-la alors au mixer avec 3 cuillerées de crème, du sel et du poivre. Réservez au chaud.

Dans une autre casserole, mettez le persil bien lavé encore humide. Laissez-le tomber sur feu moyen pendant 5 mn.

Passez-le ensuite au mixer avec 2 cuillerées de crème, du sel et du poivre. Réservez au chaud.

Epongez les cuisses de grenouilles pour les tenir bien sèches.

A feu moyen, faites fondre dans une poêle les 50 g de beurre et faites-y cuire les cuisses de grenouilles 4 mn par face. Elles doivent atteindre une belle coloration dorée.

Salez-les et poivrez-les, selon votre goût.

Dressez les cuisses de grenouilles sur assiettes chaudes. Servez la crème d'ail et la mousse de persil avec.

Voici une manière de rénover la persillade traditionnelle, de lui conférer une élégante présentation et de la rendre onctueuse et savoureuse grâce à l'apport de crème.

Servir avec un mâcon blanc ou un saint-véran.

POULET TRUFFÉ
AUX MORILLES

Pour 4 ou 5 personnes
Préparation 30 mn - Cuisson 40 mn

1 poulet de 1,8 à 2 kg,
500 g de morilles fraîches,
30 g de truffes,
350 g de crème fraîche,
1/2 jus de citron,
sel et poivre blanc, selon le goût.

Le poulet truffé aux morilles : recette cordon-bleu à réaliser en
1 h 10 mn.

POULET TRUFFÉ AUX MORILLES

Tranchez finement les truffes en lamelles.

Incisez la peau du poulet, que vous aurez fait vider et brider par votre volailler et glissez les fines lames de truffes en les répartissant au mieux sous la peau de l'animal.

Dans la partie basse d'un couscoussier, versez de l'eau. Salez-la fortement et portez-la à ébullition.

Dans la partie supérieure, placez le poulet truffé.

Laissez cuire le poulet 40 mn à la vapeur.

Pendant ce temps, nettoyez les morilles.

Retirez-en la partie terreuse du pied.

Placez-les dans une cocotte, avec le jus de citron et faites-leur rendre leur eau à feu doux.

Versez alors la crème et laissez mijoter tout doucement pendant 30 mn à couvert. La crème va se parfumer à l'extraordinaire fumet des morilles.

Au bout de ce temps découvrez, montez le feu et laissez réduire de 1/3.

Salez et poivrez les morilles. La fin de leur cuisson doit coïncider avec la fin de celle du poulet truffé.

Dressez sur un plat et décorez le plus harmonieusement possible. La photo de la page précédente peut vous fournir une idée de décoration originale. Mais vous pouvez aussi donner libre cours à votre imagination.

———

Servir avec un vin de Bordeaux de grande qualité, un graves, par exemple, d'une bonne année assez jeune.

MAGRETS DE CANARD
AU CURRY

Pour 2 personnes
Préparation 10 mn - Cuisson 10 mn

2 magrets de canard de 300 g environ chacun,
100 g de crème fraîche épaisse,
1 cuillerée à café de poudre de curry,
1 pincée de gingembre,
2 cuillerées à soupe de raisins de Corinthe,
sel, selon le goût,
30 g de beurre,
1 cuillerée à soupe d'huile de sésame,
1/2 petit piment rouge.

Les magrets de canard au curry : recette simple à réaliser en
20 mn, temps de marinade non compris.

MAGRETS DE CANARD AU CURRY

Badigeonnez les magrets d'huile de sésame, d'un peu de curry et d'un peu de gingembre. Réservez ainsi à couvert pendant une nuit.

Le lendemain, faites fondre le beurre dans une cocotte, à feu doux.

Déposez les magrets dans ce beurre, sur la peau.

Montez à feu moyen et laissez dorer et cuire en retournant plusieurs fois. Le temps de cuisson total ne doit pas dépasser 10 mn pour obtenir une viande parfaitement rosée. Salez.

Pendant ce temps, versez la crème dans une casserole à fond épais. Ajoutez le reste du curry et du gingembre, ainsi que les raisins de Corinthe préalablement trempés dans de l'eau tiède, puis égouttés. Laissez réduire pendant 5 mn.

Découpez le piment en petits cubes. Incorporez à la crème de curry. Salez selon votre goût.

Lorsque les magrets sont cuits, épongez-les et escalopez-les.

Dressez sur assiettes.

Nappez avec la sauce au curry et dégustez très chaud.

Ce plat d'inspiration orientale s'accompagne avec un mélange de riz blanc et de riz sauvage.

Pour conforter son caractère exotique, on peut le manger avec des baguettes.

Servir avec un verre d'eau glacé ou un thé au jasmin non sucré.

CARRÉS DE LAPEREAU
À LA CRÈME D'ESTRAGON

Pour 4 personnes
Préparation 15 mn - Cuisson 25 mn

1 lapereau,
4 pruneaux,
200 g de crème aigre,
3 cuillerées à soupe de moutarde,
1 brin d'estragon,
1 jus de citron,
sel et poivre, selon le goût,
50 g de beurre.

Les carrés de lapereau à la crème d'estragon : recette simple à
réaliser en 40 mn.

CARRÉS de LAPEREAU à la CRÈME d'ESTRAGON

Partagez votre lapereau en deux dans le sens de la longueur ou faites-le faire par votre volailler. Prélevez les rognons.

Retirez les cuisses qui serviront à une autre préparation ou qui peuvent être cuites avec et satisfaire l'appétit d'un ou deux convives supplémentaires.

Salez, poivrez et badigeonnez de beurre ramolli les deux carrés de votre lapereau. Placez-les dans un plat au four (th. 7-210°). Laissez cuire pendant 25 mn en retournant de temps à autre et en arrosant de beurre fondu.

Préparez 4 petites brochettes comprenant chacune 1 pruneau, un demi-rognon et les parures du lapereau. Mettez-les 5 mn à cuire dans le four.

Pendant la cuisson du lapereau, battez la moutarde avec la crème, le jus de citron, l'estragon, du poivre et éventuellement du sel (attention, la moutarde est déjà salée !).

Dans une casserole à fond épais, faites réduire cette crème pendant 5 mn à feu moyen.

Dressez les carrés de lapereau sur un plat.

Ajoutez les brochettes et nappez avec la crème moutardée à l'estragon.

Sans doute l'une des manières les plus délicieuses d'accomoder le lapereau.

———————

Servir avec un bourgueil.

RIS DE VEAU À L'ORANGE

Pour 2 personnes
Préparation 10 mn - Cuisson 25 mn

2 pommes de ris de veau,
30 g de beurre,
1 jus d'orange,
1 cuillerée à soupe de vermouth noilly,
1 trait de cointreau,
1 orange,
1 douzaine de kumquats,
70 g de crème fraîche,
sel, poivre blanc et gingembre râpé, selon le goût.

Les ris de veau à l'orange : recette cordon-bleu à réaliser en 35 mn.

RIS DE VEAU À L'ORANGE

Dans une cocotte, faites fondre le beurre à feu moyen.

Déposez dedans les pommes de ris de veau bien épluchées et dénervées.

Salez et poivrez. Saupoudrez de gingembre râpé. Laissez dorer en retournant souvent, pendant 10 mn.

A ce moment, versez le jus d'orange, le vermouth et le cointreau.

Laissez réduire 5 mn et couvrez pendant 5 autres minutes.

Pendant ce temps, pelez l'orange à cru et débitez-la en quartiers.

Ajoutez ces quartiers à la sauce des ris de veau, ainsi que les kumquats entiers et non pelés.

Versez la crème.

Rectifiez l'assaisonnement en sel, poivre blanc et gingembre râpé. Laissez réduire de nouveau 5 mn.

Escalopez les ris de veau.

Dressez sur assiettes avec les quartiers d'orange et les kumquats.

Nappez de la crème finement parfumée à l'orange.

Pour sophistiquer un peu cette recette, on peut lui adjoindre quelques lamelles de truffes et des zestes d'orange en julienne.

Servir avec un meursault frais.

ROGNONS DE VEAU
À LA CRÈME
DE SAUTERNES

Pour 4 personnes
Préparation 10 mn - Cuisson 40 mn

2 beaux rognons de veau,
50 g de beurre ramolli,
400 g de petits navets nouveaux,
30 g de beurre,
1 cuillerée à soupe de vinaigre de Xérès,
1 verre de vin blanc moëlleux
(sauternes ou monbazillac),
150 g de crème fraîche épaisse,
sel et poivre, selon le goût.

Les rognons de veau à la crème de sauternes : recette cordon-bleu à réaliser en 50 mn.

ROGNONS de VEAU à la CRÈME de SAUTERNES

Frottez avec du beurre ramolli les rognons qui auront été bien dénervés et dégraissés. Salez-les et poivrez-les.

Versez le reste du beurre dans une cocotte. Déposez-y les rognons. Couvrez la cocotte.

Placez au four (th. 7-210°). Laissez cuire 20 mn en retournant parfois les rognons et vérifiant qu'ils n'attachent pas.

Pendant ce temps, pelez les navets nouveaux.

Au bout de 20 mn de cuisson des rognons, videz l'huile et remplacez-la par le beurre.

Près des rognons, ajoutez les petits navets.

Salez-les et poivrez-les.

Laissez cuire encore 10 mn, en retournant les navets et les rognons.

Sortez alors les rognons et les navets et dressez-les sur assiettes chaudes. Réservez dans le four que vous éteignez et dont vous laissez la porte entrouverte.

Posez la cocotte sur une plaque, à feu vif.

Déglacez les sucs de cuisson avec le vinaigre.

Ajoutez alors le sauternes. Laissez réduire de moitié et versez la crème. Faites encore réduire 3 mn. Salez et poivrez.

Nappez les rognons et les navets.

Dégustez immédiatement ce plat délicatement crémé et merveilleusement parfumé au vin de sauternes.

Servir avec le vin de la sauce, un sauternes ou un monbazillac.

NOISETTES D'AGNEAU CRÉMÉES AUX OLIVETTES

Pour 2 personnes
Préparation 10 mn - Cuisson 16 mn

4 noisettes d'agneau,
100 g d'olives noires dénoyautées,
100 g d'olives vertes dénoyautées,
100 g de crème,
1 brin de romarin,
1 brin de thym,
sel et poivre, selon le goût,
30 g de beurre.

Les noisettes d'agneau crémées aux olivettes : recette simple à
réaliser en 26 mn.

NOISETTES d'AGNEAU CRÉMÉES aux OLIVETTES

Dans deux casseroles, faites chauffer séparément les olives vertes et les olives noires avec chacune 50 g de crème, du sel et du poivre.

Dans une poêle sur feu assez vif, faites fondre le beurre et poêlez les noisettes d'agneau 3 mn de chaque côté. Salez et poivrez.

Dressez les noisettes sur assiettes.

Garnissez avec les olives vertes et noires.

Nappez les noisettes avec le mélange des deux crèmes aux olives.

Parsemez de romarin et de thym, ainsi que d'une julienne d'olives noires.

Ce plat délicat se savoure comme une ode à la Provence.

Servir avec un bandol rosé.

POT-AU-FEU EN SALADE ET SA CRÈME DE LÉGUMES

Pour 15 personnes
Préparation 20 mn - Cuisson 1 h

1 kg de gîte,
1 kg de macreuse,
1 kg de flanchet,
1 langue de bœuf,
1 queue de bœuf,
5 os à moëlle,
2 salades frisées,
300 g de carottes,

1 branche de céleri,
2 navets,
1 poireau,
500 g de crème fraîche,
sel, poivre, selon le goût,
1 soucoupe de fleurs de thym,
1 verre de vinaigre
de vin vieux.

Le pot-au-feu en salade et sa crème de légumes : recette assez simple à réaliser en 1 h 20 mn.

Dans un fait-tout, mettez les différentes sortes de viandes à pot-au-feu : gîte, macreuse, flanchet, langue et queue.

Ajoutez les os à moëlle ainsi que les légumes épluchés et lavés.

Salez et poivrez assez abondamment.

Couvrez d'eau.

Faites partir l'ébullition. Placez un couvercle et laissez cuire pendant 1 h.

A ce moment, retirez du feu.

Récupérez les légumes. Égouttez-les.

Passez-les grossièrement au hachoir ou au presse-purée.

Mélangez-les à la crème. Incorporez également le vinaigre et la moëlle des os. Rectifiez l'assaisonnement en sel et poivre et laissez refroidir.

Sortez alors les viandes. Égouttez-les. Taillez-les en fines tranches et dressez sur des plats. Parsemez de fleurs de thym.

Présentez avec un saladier de frisée et la crème de légumes à l'occasion d'un buffet ou d'une garden-party et chacun dressera son assiette selon son goût.

───────────

Servir avec un beaujolais.

ASPERGES
À LA MOUSSELINE
D'ARTICHAUT

Pour 4 personnes
Préparation 15 mn - Cuisson 30 mn

20 asperges vertes,
20 asperges blanches,
2 artichauts,
1 cuillerée à café de jus de citron,
1 cuillerée à café de jus d'orange,
1 brin de ciboulette,
100 g de crème fraîche,
sel et poivre, selon le goût.

Les asperges à la mousseline d'artichaut : recette simple à réaliser en 45 mn, (les asperges se cuisant en même temps que les artichauts).

ASPERGES À LA MOUSSELINE D'ARTICHAUT

Dans une casserole d'eau salée, cuisez à petits bouillons les deux artichauts.

Égouttez-les. Effeuillez-les puis prélevez les cœurs que vous débarrassez soigneusement de tous poils. Passez-les sous l'eau froide et essuyez-les. Réservez-les dans le mélange de jus de citron et de jus d'orange. Cela les empêchera de noircir.

Pendant la cuisson des artichauts, préparez les asperges.

Grattez-les avec soin. Retirez 2 cm de queue sur chaque asperge. Cuisez-les à l'eau bouillante salée, pointes en haut et si possible légèrement hors de l'eau, pendant 10 mn.

Maintenez-les dans l'eau chaude après cuisson jusqu'au moment de les servir.

Préparez alors la mousseline en broyant les fonds d'artichauts avec le jus de citron, le jus d'orange, du sel et du poivre.

Incorporez la crème et fouettez jusqu'à obtention d'une belle onctuosité. Parsemez cette crème de ciboulette ciselée.

Essuyez les asperges, dressez-les sur assiettes et présentez avec la mousseline d'artichaut.

La saveur des asperges se marie parfaitement avec celle des artichauts délicatement crémés.

Servir avec un muscadet sur lie.

STEAKS DE CHOU-FLEUR À LA CRÈME DE MENTHE

Pour 4 personnes
Préparation 10 mn - Cuisson 20 mn

1 chou-fleur,
1 tête de brocoli,
10 feuilles de menthe,
150 g de crème fraîche,
sel et poivre, selon le goût,
quelques baies de genièvre.

Les steaks de chou-fleur à la crème de menthe : recette assez simple à réaliser en 30 mn.

STEAKS de CHOU-FLEUR à la CRÈME de MENTHE

Débitez le chou-fleur en 4 belles tranches épaisses comme des steaks.

La photo qui illustre notre recette donne une idée de décoration en s'inspirant du thème de l'arbre, auquel une tranche de chou-fleur ressemble souvent.

Cuisez-les à la vapeur, parsemés de baies de genièvre, pendant 20 mn.

Pendant ce temps, faites cuire les brocolis 10 mn à l'eau bouillante salée, en même temps que les feuilles de menthe.

Égouttez brocolis et menthe.

Passez au mixer avec la crème. Assaisonnez avec sel et poivre.

Réchauffez tout doucement en laissant réduire le temps de la fin de cuisson du chou-fleur.

Dressez les steaks de chou-fleur le plus harmonieusement possible en assiettes, après les avoir bien égouttés.

Nappez avec la crème aux brocolis et à la menthe.

Cette crème accompagnera aussi délicieusement des pommes de terre à l'eau.

Servir avec un vin rouge de Bordeaux, une côte-de-Bourg, par exemple.

TARTE AUX LÉGUMES

Pour 4 personnes
Préparation 20 mn - Cuisson 30 mn

1 fond de tarte en pâte brisée,
600 g de légumes assortis
(carottes, haricots verts, oignons, poireaux, chou-fleur,
concombre, navets, asperges, etc.),
2 jaunes d'œufs,
200 g de crème fraîche ou de crème aigre,
sel et poivre, selon le goût,
1 pincée de noix muscade râpée.

La tarte aux légumes : recette simple à réaliser en 50 mn.

Abaissez votre pâte.

Foncez le moule à tarte. Piquez la pâte.

A four assez chaud (th. 7-210°), précuisez votre pâte à tarte pendant 10 mn.

Dans le même temps, blanchissez vos légumes à l'eau bouillante salée.

Fouettez les jaunes d'œufs avec la crème. Salez, poivrez et muscadez.

Sortez la tarte du four. Garnissez-la de la crème et des légumes.

Remettez au four pour une vingtaine de minutes.

Juste avant la fin de la cuisson, ajoutez une bonne cuillerée de crème fraîche que vous répartissez sur les légumes.

Rectifiez l'assaisonnement.

Servez chaud avec une salade verte en garniture.

Un plat rustique affiné par la présence finale de la crème fraîche.

Servir avec un vin rouge de Cahors.

TROIS PURÉES-CRÈMES

(à la betterave, au cerfeuil et à l'échalote)

Pour 4 personnes
Préparation 20 mn - Cuisson 15 mn

3 petites betteraves,
1 botte de cerfeuil,
2 oignons,
3 échalotes,
3 gousses d'ail,
1 filet de jus de citron,
9 cuillerées à soupe de purée de pommes de terre,
9 cuillerées à soupe de crème fraîche,
sel et poivre, selon le goût,
30 g de beurre.

Les trois purées-crèmes : recettes simples à réaliser en 35 mn.

Passez au mixer les betteraves après les avoir pelées. Ajoutez-leur 3 cuillerées de purée de pommes de terre et 3 cuillerées de crème. Versez le filet de jus de citron. Salez, poivrez. Réservez.

Broyez le cerfeuil au mixer avec 3 cuillerées de crème. Incorporez 3 cuillerées de purée de pommes de terre. Salez et poivrez. Réservez.

Pelez oignons, échalotes et gousses d'ail. Coupez-les grossièrement et faites-les revenir à la poêle, dans le beurre, sur feu doux pendant 10 mn. Ils auront pris à ce moment-là une belle coloration dorée. Passez le tout au mixer avec 3 cuillerées de purée et 3 cuillerées de crème. Salez et poivrez. Réservez.

A notre sens, ces purées-crèmes accompagnent particulièrement bien une belle côte de bœuf, un rôti ou une volaille.

Juste avant la cuisson de votre viande, faites réchauffer les 3 purées-crèmes pendant 5 mn et servez-les autour de la pièce rôtie.

Un panaché de saveur et d'onctuosité !

———————

Servir avec un vin rouge de Bourgogne, un côtes de Nuits, par exemple.

FROMAGE BLANC
À LA NIÇOISE

Pour 6 personnes
Préparation 10 mn

1 kg de fromage blanc fermier,
200 g de crème fraîche épaisse,
6 gousses d'ail,
3 échalotes,
1 brin de cerfeuil,
1/2 poivron rouge,
1/2 poivron vert,
1 filet de citron,
sel, poivre et paprika.

Le fromage blanc à la niçoise : recette très simple à réaliser en 10 mn.

FROMAGE BLANC À LA NIÇOISE

Egouttez soigneusement le fromage blanc.

Fouettez-le avec la crème.

Emincez finement ail, échalotes et poivrons.

Incorporez au fromage.

Salez, poivrez et relevez au paprika.

Ajoutez le filet de citron.

Malaxez tous les ingrédients et laissez macérer 2 h au frais avant de consommer.

Une version méridionale de la célèbre "cervelle de ca-nuts" lyonnaise.

On peut également ajoutez du safran et un trait de pas-tis à cette préparation dont le fromage est le support et la crème l'élément raffiné.

———————

Servir avec un vin blanc de bandol.

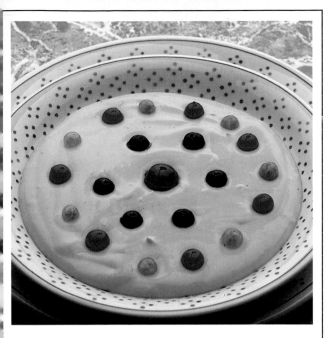

ENTREMETS
SAINTE-CATHERINE

Pour 6 personnes
Préparation 20 mn - Cuisson 1 h 15 mn

Pour le fond meringué :
3 blancs d'œufs + une pincée de sel,
75 g de sucre semoule,
75 g de sucre glace.

Pour la crème fouettée :
300 g de crème fleurette,
1 sachet de sucre vanillé,
1 verre de crème de cassis,

Pour la décoration :
Groseilles et cassis frais ou surgelés.

L'entremets Sainte-Catherine : recette simple à réaliser en
1 h 35 mn.

Montez les blancs en neige avec une pincée de sel.

Incorporez vers la fin le mélange de sucre semoule et de sucre glace.

Mettez dans une poche à douille et moulez avec cet appareil à meringue un fond pour votre entremets.

Placez au four sur un papier siliconé pendant 1 h et 15 mn à four moyen (th. 5-150°).

Ne laissez pas la meringue prendre une couleur trop foncée. Elle doit rester d'un blond léger.

Pendant la cuisson de la meringue, préparez une chantilly en fouettant la crème fleurette très froide avec le sucre vanillé. Versez la crème de cassis sans cesser de fouetter.

Réservez au froid.

Lorsque la meringue est cuite, laissez-la refroidir.

Mettez alors la crème fouettée en poche à douille.

Nappez le dessus de la meringue.

Décorez avec les groseilles et le cassis.

Ce dessert, simple et franc de goût, réjouira tous les convives par sa légèreté et sa douce saveur.

Si ce dessert est destiné à des enfants, remplacez la crème de cassis par du sirop de cassis.

Servir avec un asti spumante ou une blanquette de Limoux.

MOUSSES
AUX DEUX SAVEURS

Pour 8 personnes
Préparation 20 mn

500 g de crème fleurette,
100 g de sucre semoule,
6 blancs d'œufs,
2 pincées de sel,
2 cuillerées à soupe de sucre glace,
4 cuillerées à soupe de chocolat noir en poudre,
2 cuillerées à soupe de café soluble en poudre.

Les mousses aux deux saveurs : recettes simples à réaliser en 20 mn.

Placez la crème au froid plusieurs heures avant de vous en servir.

Puis, dans un grand bol, montez-la en la fouettant environ 10 mn avec le sucre semoule.

Partagez cette chantilly en deux parts égales.

Parfumez l'une avec la moitié du chocolat et l'autre avec la moitié du café.

Montez ensuite les blancs d'œufs en neige avec les deux pincées de sel. Incorporez vers la fin le sucre glace.

Lorsque les neiges sont bien fermes, partagez également cet appareil en deux parts égales. Parfumez l'une avec l'autre moitié du chocolat et l'autre avec la seconde partie du café.

Mélangez ensuite délicatement la crème fouettée au chocolat avec les œufs en neige au chocolat et la crème fouettée au café avec les œufs en neige au café.

Réservez au frais et servez ces deux mousses légères et onctueuses à l'occasion d'un dessert, d'un goûter ou d'un buffet, avec des pâtisseries du type biscuits à la cuiller, meringues, brioches ou cakes.

Deux mousses aériennes, deux saveurs amies, le café et le chocolat : un grand dessert !

Servir avec un champagne brut frappé.

CHARLOTTE AUX FRAISES CRÉMIÈRES

Pour 6 personnes
Préparation 15 mn - Cuisson 3 mn
Temps de prise : 2 h

500 g de fraises,
500 g de crème fleurette,
200 g de sucre semoule,
6 feuilles de gélatine,
1 boîte de biscuits à la cuiller,
Fraises pour le décor.

La charlotte aux fraises crémières : recette simple à réaliser en 18 mn, temps de prise de la charlotte non compris.

Broyez les fraises, bien lavées et équeutées, au mixer.

Chauffez cette purée avec le sucre semoule.

Laissez tiédir et incorporez à ce moment la gélatine.

Laissez-la fondre dans l'appareil.

Pendant ce temps, montez la crème fleurette en chantilly et lorsque l'appareil est froid, incorporez-la. Conservez-en une tasse au frais.

Tapissez le fond et les parois d'un moule à charlotte de biscuits à la cuiller.

Garnissez avec l'appareil et laissez-le prendre au froid. Comptez environ 2 heures.

Démoulez la charlotte.

Décorez le sommet avec des fraises coupées.

Broyez quelques fraises et mélangez-les à la tasse de chantilly que vous avez réservée.

Mettez en poche à douille et dressez sur le dessus, entre les fraises du décor.

Placez un moment au frais et servez soit naturel, soit nappé d'un coulis de fraise très légèrement parfumé au kirsch.

Servir avec un vin rouge de Bourgogne : un santenay ou un volnay.

FLAN FLAMBÉ
AU WHISKY

Pour 4 personnes
Préparation 20 mn - Cuisson 10 mn
Temps de prise 2 h

1/2 l de thé de Chine fumé,
100 g de sucre en poudre,
2 verres à liqueur de whisky,
350 g de crème fleurette,
50 g de sucre glace,
5 feuilles de gélatine.

Le flan flambé au whisky : recette assez simple à réaliser en 30 mn, temps de prise de l'appareil non compris.

FLAN FLAMBÉ AU WHISKY

Préparez un thé assez fort avec du thé chinois fumé. Versez-en 1/2 l dans une terrine assez large dans laquelle vous mettez à ramollir les feuilles de gélatine. Tournez de temps à autre jusqu'à ce que la gélatine soit parfaitement fondue.

Sucrez alors en tiédissant le mélange et ajoutez 1 verre de whisky. Laissez refroidir.

Pendant ce temps, montez la crème fleurette en la fouettant avec le sucre glace.

Mélangez les deux appareils délicatement et versez dans un moule.

Laissez prendre pendant 2 heures au froid.

Démoulez en trempant le fond du moule dans l'eau chaude.

Versez le second verre de whisky dans une casserole. Chauffez et répandez sur le flan. Allumez.

Le flambage provoque la fonte d'une partie du flan qui va de ce fait servir de sauce.

Consommez aussitôt ce dessert de saveur originale.

Servir avec un thé frais fumé de Chine ou avec un verre de whisky sur glace.

CRÈME BAVAROISE
À LA GELÉE DE MÛRES

Pour 6 personnes
Préparation 15 mn - Cuisson 10 mn
Temps de prise 2 h

500 g de mûres ou de gelée de mûres,
200 g de sucre semoule
(si vous utilisez des fruits frais),
250 g de crème anglaise,
250 g de crème fleurette,
5 feuilles de gélatine trempées 1 h dans un peu d'eau.

Pour le glaçage :
3 cuillerées de gelée de mûres.

La crème bavaroise à la gelée de mûres : recette simple à réaliser en 25 mn, temps de prise non compris.

CRÈME BAVAROISE À LA GELÉE DE MÛRES

Faites chauffer les mûres avec le sucre semoule.

Passez-les au mixer, puis au tamis pour recueillir un sirop lisse.

Tant qu'il est encore tiède, faites-y fondre la gélatine. Si vous utilisez de la gelée déjà prête, tiédissez-la puis ajoutez la gélatine.

Pendant ce temps, montez la crème fleurette en chantilly. Réservez-en une tasse pour le décor.

Lorsque le sirop de mûres est froid et la gélatine bien fondue dedans, incorporez la crème anglaise, puis la crème chantilly.

Versez dans un moule à bavarois. Laissez prendre 2 h au frais.

Faites tiédir la gelée de mûres. Versez-en un peu sur le dessus du bavarois aux mûres. Tournez l'entremets en tous sens pour que la gelée se répande uniformément à la surface.

Mettez la chantilly que vous avez réservée en poche à douille et décorez la crème bavaroise.

Laissez encore au frais jusqu'au moment de consommer.

Un dessert classique et simple, rendu délicat par la présence de crème allégée et par le choix raffiné de son parfum. En effet, la mûre, fruit de la ronce, arbuste on ne peut plus rustique, dégage paradoxalement l'une des senteurs et développe l'une des saveurs les plus subtiles qui soient. Peut se présenter sur un lit de génoise.

Servir avec un verre d'alcool de framboises d'Alsace, ou un simple verre d'eau glacée.

GLACE AU MIEL
À LA CRÈME BLONDE

Pour 4 personnes
Préparation 5 mn - Cuisson 10 mn
Congélation 3 h

150 g de crème fleurette,
20 cl de lait,
150 g de miel,
2 jaunes d'œufs,
2 cuillerées à soupe de raisins de Corinthe,
150 g de crème chantilly,
1 verre à liqueur de cognac,
30 g de sucre semoule.

La glace au miel à la crème blonde : recette assez simple à réaliser en 15 mn, temps de congélation non compris.

GLACE AU MIEL À LA CRÈME BLONDE

Faites bouillir le lait dans une casserole. Incorporez le miel. Laissez refroidir et introduisez la crème fleurette fouettée avec les jaunes d'œufs.

Ajoutez les raisins de Corinthe que vous aurez fait gonfler pendant quelques heures dans le cognac.

Mettez en sorbetière et tournez jusqu'à ce que le mélange prenne. Réservez au freezer.

Pendant ce temps, fouettez la crème chantilly avec le sucre semoule et le cognac dans lequel les raisins de Corinthe ont macéré.

Servez la glace au miel en coupes individuelles et nappez avec la crème légère et blonde.

Cette crème blonde accompagnera délicatement d'autres glaces comme la vanille ou le café et des sorbets aux fruits comme le citron ou les fruits de la passion.

———————

Servir avec un cognac et un verre d'eau glacée.

COMPOTE CRÉMÉE MERINGUÉE

Pour 8 personnes
Préparation 10 mn - Cuisson 1 h

1,5 kg de compote de pommes,
250 g de crème fraîche,
2 blancs d'œufs + 1 pincée de sel,
100 g de sucre glace,
100 g de chocolat noir,
100 g de crème fleurette.

La compote crémée meringuée : recette simple à réaliser en 1 h 10 mn.

COMPOTE CRÉMÉE MERINGUÉE

Fouettez la compote de pommes avec les 250 g de crème fraîche.

Versez dans un plat creux tenant le feu.

Montez les blancs d'œufs en neige avec la pincée de sel.

Vers la fin, incorporez-leur le sucre glace.

Fouettez encore pour obtenir un appareil à meringue blanc et lisse.

Versez par-dessus la compote. Couvrez d'un papier d'aluminium.

Mettez à four moyen (th 5-150°) pendant 1 heure.

Pendant ce temps, faites fondre le chocolat noir avec la crème fleurette et réservez au bain-marie.

Lorsque la meringue est bien cuite, c'est-à-dire sèche et d'une coloration d'un blond léger, servez aussitôt ce dessert pour gourmands et gourmets, accompagné de la crème au chocolat tiède.

Servir avec un bordeaux rouge, un St Julien par exemple.

FRUITS POCHÉS
À LA CHANTILLY
DE WILLIAMINE

Pour 4 personnes
Préparation 15 mn - Cuisson 10 mn

6 pêches,
2 belles poires,
12 grosses fraises,
150 g de sucre en poudre,
2 cuillerées à soupe de graines de sésame,
250 g de crème fleurette,
50 g de sucre semoule,
1 cuillerée à café d'alcool de poire
(williamine).

Les fruits pochés à la chantilly de williamine : recette simple à
réaliser en 25 mn.

FRUITS POCHÉS à la CHANTILLY de WILLIAMINE

Ebouillantez les pêches pour pouvoir les pelez aisément. Partagez-les en deux pour les dénoyauter.

Pelez les poires. Coupez-les en deux et retirez les trognons.

Versez les 150 g de sucre dans un verre d'eau et faites un sirop léger.

Pochez les pêches et les poires dans ce sirop, en tournant souvent la casserole pour que le sirop imprègne toutes les parties des fruits. Laissez ainsi pocher pendant 10 mn à feu doux.

Egouttez les fruits. Dressez-les sur assiettes.

Passez rapidement les fraises dans le sirop et rangez-les dans les assiettes au côté des pêches et des poires.

Parsemez de graines de sésame que vous aurez fait dorer quelques instants dans une poêle, à sec.

Réservez au frais.

Préparez alors votre crème chantilly en fouettant dans un bol froid la crème fleurette, elle aussi très froide, avec le sucre semoule. Ne prolongez pas trop l'opération. Sitôt que la chantilly prend, versez l'alcool de poire et fouettez encore quelques secondes.

Décorez les assiettes de fruits pochés avec cette chantilly parfumée à la williamine et servez aussitôt.

Vous pouvez ajouter un brin de menthe fraîche.

Servir avec un verre d'eau glacée.

CAFÉ D'ARTAGNAN

Pour 4 personnes
Préparation 10 mn - Cuisson 5 mn

4 tasses de café fort,
4 morceaux de sucre roux,
1 cuillerée à café de café soluble en poudre,
50 g de sucre semoule,
150 g de crème fleurette,
4 cuillerées à café de crème fraîche épaisse,
4 verres à liqueur d'armagnac.

Le café d'Artagnan : recette simple à réaliser en 15 mn.

Préparez 4 tasses de café fort.

Pendant ce temps, montez la crème fleurette en la fouettant avec le sucre semoule auquel vous aurez mélangé le café soluble.

Dans des tasses ou des verres à pieds, versez le café encore bien chaud.

Déposez au fond de chaque tasse 1 sucre roux.

Versez l'armagnac tout doucement par-dessus.

Ajoutez ensuite quelques cuillerées de crème fouettée au café.

Au dernier moment, incorporez une cuillerée à café de crème fraîche épaisse et dégustez immédiatement au dessert avec une paille en fouettant ou non la mixture et c'est là une stricte affaire de goût.

A notre sens, ce cocktail-dessert à la crème est encore meilleur consommé couche par couche, sans paille, directement au verre.

Ce dessert étant en même temps une boisson, le servir seul.

Idées recettes

Savoir préparer

Les cocktails
Les cocktails exotiques
The american cocktails
Les buffets
Les terrines et pâtés
Les salades – nouvelles recettes
Les œufs
Les sauces
Les soupes et potages
Les coquillages et crustacés
Les poissons – nouvelles recettes
Les poissons de mer
Les poissons de rivières
Les légumes – nouvelles recettes
Les pâtes
Les viandes – nouvelles recettes
Les entrées – nouvelles recettes
Les grillades et brochettes
Les volailles – nouvelles recettes
Les fondues et raclettes
Les pommes de terre
Les champignons
Les tartes salées et sucrées
Les entremets
Les desserts
Les pâtisseries – nouvelles recettes
Les crêpes
La crème
Le chocolat
La cuisine aux micro-ondes
La cuisine pour maigrir
La cuisine à la vapeur
La cuisine pas chère
La cuisine à l'huile d'olive
Savoir déguster les fromages
Savoir déguster les vins
Une cocktail party

Idées recettes du monde entier

Savoir préparer

Impression et reliure
Pollina s.a., 85400 Luçon - n° 80790 k